Ernest et Célestine

La chambre de Joséphine

www.casterman.com

© Casterman 2015

ISBN : 978-2-203-10918-6
L.10EJDN1621.N001

Imprimé en octobre 2015, en Espagne
Dépôt légal : janvier 2016 ; D 2016/0053/74
Déposé au ministère de la Justice (loi n° 49.956 du 16 juillet 1949 sur les publications destinées à la jeunesse).

GABRIELLE VINCENT

Ernest et Célestine

La chambre de Joséphine

casterman

– Tante Joséphine arrive dans huit jours! Nous allons installer sa chambre ici...
– Ici! Mais c'est impossible, Ernest!... Avec quoi? Tu as vendu tout ce qui restait au grenier...
   En plus, il pleut dans cette pièce! Et puis, tu connais Joséphine...

– Ici, le lit...

Là, le lavabo...

... le tapis...
Et ici, la table...

– Et c'est tout, Ernest ?
– Non...

– Non, non, il lui faut un fauteuil,
  une commode, un miroir,
  des chaises, des tableaux...
– Mais Ernest, tu rêves ou quoi?

– Non, écoute...

... dans les poubelles!
– Les poubelles!
– Bah!

... mais « CHUT » !

– S'il ne pleut pas, tout ira bien,
Ernest, mais s'il pleut ?
– Il ne pleuvra pas !

– Je gratte toutes les taches…
Dis, Ernest, si tu lui prêtais
plutôt ta chambre ?

– Ma mansarde ! Jamais elle n'en voudrait !

– Tu n'as pas honte, Ernest ?
– Non... pourquoi ?

... lavé, raccommodé, désinfecté... hein ?

– Pour recueillir l'eau
  du plafond... voilà !

– Ernest, quelque chose me dit que...
– Que quoi ? Qu'elle n'aimera pas ?

– Tu déménages, Ernest ?

– On n'en sortira pas, Ernest...
  On n'a encore que la décoration !

– On n'en sortira pas, je te dis ! Elle arrive dans trois jours !
  Mais qu'est-ce qu'on va faire ?
– Célestine, quelque chose me dit que là-bas...

– Un si beau matelas! Tout neuf!
– Oui, Jérôme, mais puisque nous partons...
   D'ailleurs, regarde, il y a déjà des amateurs!

– Tu as entendu, Célestine ? « Tout neuf » !
– Oui, mais tu reviendras très vite, hein ?
– Oui, oui, je cours !... Tout neuf, je te dis !

– Célestine, si nous allions carrément
à la décharge publique pour le reste?
– Oh! Oui...

– Mais on trouve tout, ici, Ernest !
– On va tout laver, tout désinfecter à l'eau de Javel !

– Demain matin, nous prendrons le fauteuil et la table de nuit :
   ainsi, nous aurons tout, hein, Ernest ?
– Tout… et avec ça, si elle n'est pas contente, notre Joséphine !

– Hé bien, maintenant, je sens que ça va lui plaire, Ernest!
– Elle se croira dans un château...
– Oui, Ernest, s'il ne pleut pas!

– Pourvu qu'il ne pleuve plus
demain, Ernest!
– J'ai toujours eu de la
chance, Célestine!

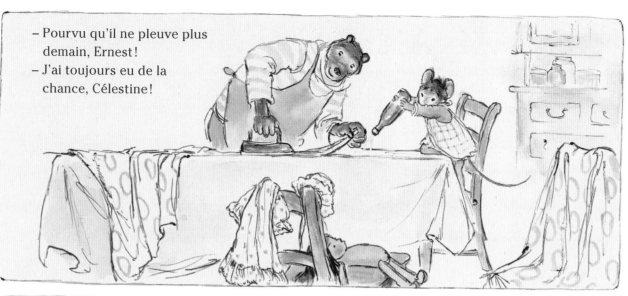

– Et après, la poupée, elle sera pour toi ou pour moi?
– Tout sera pour toi, Célestine, tout!

– Regarde, Célestine, ce n'est pas
une chambre… c'est un salon!
– Mais il pleut sur tout… regarde bien!

– Oh! c'est ma chambre, ça!
Mais, Ernest, il pleut partout!

– Moi, je savais
qu'il pleuvrait!

– Je suis désolée, mon pauvre Ernest...
mais je vais chercher un hôtel!

– Elle s'est enfuie! Tu as vu ça?... Elle va chercher un hôtel dans cette pluie!
– Si tu avais vu sa tête, Ernest quand elle a regardé le plafond!

– … et en plus, Ernest, si elle savait d'où ça vient, tout ça !
– On a fait tout ce travail pour rien, Célestine !
– … pour rien, Ernest… pour rien !

– Et maintenant, si on jouait au fantôme ?

– Oh! tu as entendu, Ernest?
– Non!
– On a sonné!
– Et alors?
– C'est elle!
– Tu crois?

– Je n'ai rien trouvé, Ernest…
Je vais dormir dans la chambre que tu m'as préparée…
Ça ira bien pour cette nuit, tu sais!